# La Leyenda de Mahaduta

Un Cuento Sobre El Bien Y El Mal

# The Legend of Mahaduta

A Tale of Cause and Effect

Recopilado por los miembros de la Sociedad para la Traducción de Textos Budistas

By members of the Buddhist Text Translation Society

Buddhist Text Translation Society
Dharma Realm Buddhist University
Dharma Realm Buddhist Association
Burlingame, CA

La Leyenda de Mahaduta : un Cuento sobre el Bien y el Mal
The Legend of Mahaduta : a Tale of Cause and Effect
Spider Thread（First Spanish/English bilingual edition）
懸命的蜘蛛絲(西班牙文.英文雙語版)

Buddhist Text Translation Society
Dharma Realm Buddhist University
Dharma Realm Buddhist Association

**Buddhist Text Translation Society**
1777 Murchison Drive
Burlingame, CA 94010-4504
(650) 692-5912

ISBN 978-0-88139-764-2 trade
ISBN 978-0-88139-762-8 paper
Printed in Taiwan

**Library of Congress Cataloging-in-Publication Data**
Xuan ming di zhi zhu si. Spanish and English
La leyenda de mahaduta : un cuento sobre el bien y el mal = The legend of Mahaduta
: a tale of cause and effect / traducido y publicado por la Sociedad de Traducción de
Textos Budistas, Universidad Budista del Reino del Dharma,
Asociación Budista del Reino del Dharma. —
1st Spanish ed., Bilingual Spanish-English ed.

p. Cm.
ISBN-13: 978-0-88139-764-2 (hbk : alk. Paper)
ISBN-13: 978-0-88139-762-8 (pbk : alk. Paper)

1. Buddhism—Juvenile literature. 2. Conduct of life—Juvenile literature. I. Buddhist
Text Translation Society. II. Dharma Realm Buddhist University. III. Dharma Realm
Buddhist Association. IV. Title. V. Title: Legend of Mahaduta :
a tale of cause and effect.

BQ4032.X83 2007
294.3'85—dc22

2006002104

Illustration & Graphic Design
Sporg Media Studio,India.
www.sporg.blogspot.com

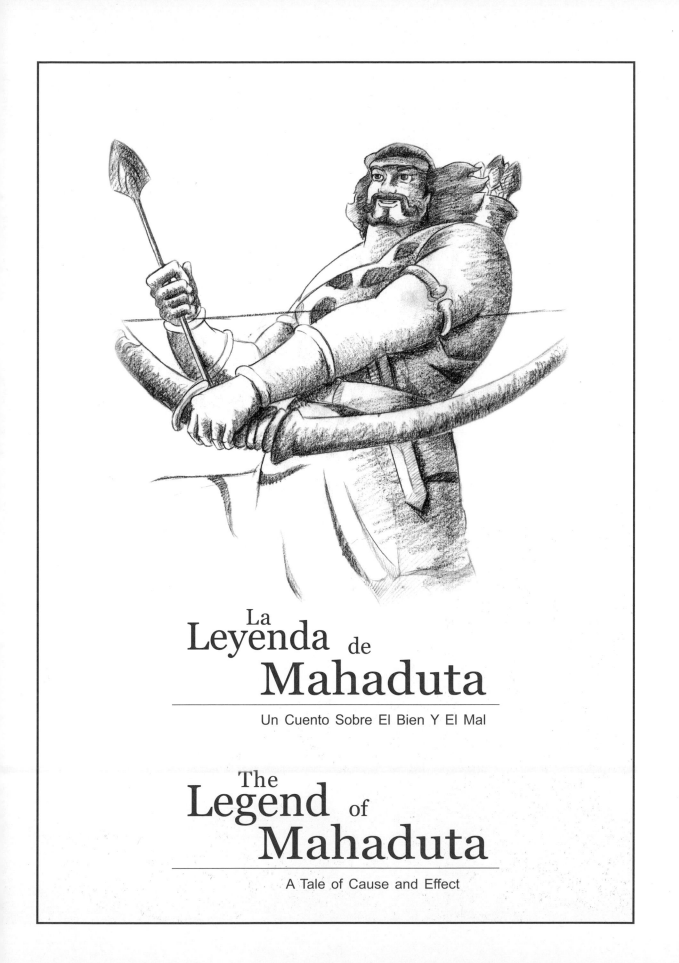

# La Leyenda de Mahaduta

Un Cuento Sobre El Bien Y El Mal

# The Legend of Mahaduta

A Tale of Cause and Effect

*H*ace mucho tiempo, en la India, vivió un joyero muy rico, de nombre Pandú. Cierto día en que se dirigía en su carruaje hacia la ciudad de Varanasi, Pandú se regocijaba por la bonanza del tiempo, recién refrescado por una tormenta, y sobre todo por el dinero que iba a conseguir al día siguiente vendiendo las joyas en el mercado.

Mirando hacia adelante, Pandú observó un monje caminando lentamente por un lado de la carretera. El monje caminaba con pasos firmes y espalda erguida; había algo en él que irradiaba paz y fortaleza interior.

*O*nce in ancient India a wealthy jeweler was hurrying in his carriage along the highway to Varanasi. Pandu was his name. There had been a thunderstorm to cool the afternoon, and Pandu was congratulating himself on the excellent weather and on the money he would make the next day from dealing in jewels.

Looking up for a minute, he noticed a Bhikshu walking slowly ahead on the side of the road. The Bhikshu's steps were firm, his back was straight; there was an air about him of peace and inner strength.

Pandú pensó: "Si ese monje va a Varanasi, le pediré si quiere viajar conmigo. Parece un santo y yo he oído que la compañía de hombres santos siempre trae buena suerte". Así que dio órdenes a su fortachón esclavo, llamado Mahaduta, de parar los caballos.

—Venerable Maestro del Dharma —dijo Pandú, abriendo la puerta de su carruaje—. ¿Puedo ofrecerle transporte hasta Varanasi?

Pandu thought to himself, "If that Bhikshu is going to Varanasi, I'll ask him if he'll ride with me. He looks like a saintly man, and I have heard that the companionship of saintly men always brings people good luck." He told his burly slave Mahaduta to rein in the horses.

"Venerable Dharma Master," said Pandu, opening the door to his carriage, "May I offer you transportation to Varanasi?"

—Viajaré contigo —contestó el monje—, si comprendes que no puedo pagarte, pues no tengo posesiones materiales. Lo único que puedo ofrecerte es Dharma.

—Acepto sus condiciones —dijo el joyero, que siempre pensaba como si estuviese negociando. Y así invitó al monje a entrar en su carruaje.

Durante el viaje, el monje, cuyo nombre era Narada, le habló del karma, que es la ley de causa y efecto. —La gente crea sus propios destinos a través de sus acciones— dijo Narada—. Buenas acciones generan de un modo natural buena fortuna, mientras que quienes cometen maldades acaban pagando por ellas tarde o temprano.

Pandú se encontraba a gusto con su compañero. Le gustaba oír cosas con sentido, pues él era un hombre muy práctico, y también tenía raíces buenas y profundas en el Dharma, ¡aunque esto último él no lo sabía! Pandú, el joyero, interrumpió ásperamente a Narada cuando su carruaje se paró en mitad de la carretera.

—¿Qué ocurre? —gritó irritado a su esclavo Mahaduta—. ¡No hay tiempo que perder! Varanasi estaba aún diez millas de distancia, y el sol se estaba poniendo por el Oeste.

"I will travel with you," the Bhikshu replied, "if you understand that I cannot pay you, for I have no worldly possessions. I can only offer the gift of the Dharma."

"I accept your terms," replied the jeweler, who thought of everything as bargains and deals. He made room for the Bhikshu in his carriage.

As they traveled, the Bhikshu, whose name was Narada, spoke of the law of cause and effect.

"People create their own destinies," he said, "out of what they themselves do. Good deeds naturally bring good fortune, while people who do evil will pay for it sooner or later." Pandu was pleased with his companion. He liked to hear good common sense, for he was a practical man, and he also had deep good roots in the Dharma, though he did not know it.

But he interrupted Narada rudely when the carriage suddenly jolted to a stop in the middle of the road. "What's this?" he called out in irritation to his slave Mahaduta. "We've no time to waste!" Varanasi was still ten miles distant, and the sun was already sinking in the west.

—Es el carromato de un estúpido agricultor en medio de la carretera — vociferó el esclavo.

El monje y el joyero abrieron las puertas del carruaje y se asomaron para ver lo que ocurría. Un poco más adelante, y bloqueando la carretera, había un carromato cargado de sacos de arroz. La rueda derecha yacía averiada en una zanja. El agricultor estaba sentado en el suelo intentando reparar una pezonera rota.

¡Yo no puedo esperar! ¡Mahaduta! —gritó Pandú—. ¡Aparta su carromato!

El campesino se levantó de un salto para protestar y Narada se volvió hacia Pandú para pedirle que pensase otro modo de resolver la situación. Pero antes de que nadie pudiese decir una palabra, el fortachón Mahaduta ya había saltado de su asiento, y arremetiendo contra el carromato del agricultor, lo empujó dentro de la zanja. Varios sacos de arroz cayeron en el barro. El agricultor se fue corriendo y chillando hacia Mahaduta, pero se frenó al darse cuenta de que el esclavo le doblaba en tamaño y fuerza.

"A stupid farmer's cart in the road," the slave growled from the coachman's seat.

The Bhikshu and the jeweler opened the carriage doors and leaned out to look. There blocking the highway was a horse cart loaded with rice. Its right wheel was lying useless in the ditch. The farmer was sitting beside it struggling to repair a broken linchpin.

"I can't wait! Push his cart off the road, Mahaduta!" Pandu shouted.

The farmer leapt up to protest, and Narada turned to Pandu to ask him to think of some other way, but before either could say a word the burly Mahaduta had jumped down from his seat, heaved at the horse cart, and tilted it into the ditch. Bags of rice slid off into the mud. The farmer ran yelling up to Mahaduta, but fell silent when he realized that the tall slave had twice his strength.

Sonriendo maliciosamente, Mahaduta levantó su puño; estaba claro que habría disfrutado dando una paliza al campesino si su amo no tuviese tanta prisa.

Al mismo tiempo que el esclavo volvía a su asiento y retomaba las riendas del carruaje, el monje se bajó a la carretera, y dirigiéndose a Pandú le dijo:

—Estoy descansado y en deuda contigo por haberme llevado durante una hora, y qué mejor modo de saldar esta deuda que ayudando a este desafortunado agricultor al que tú has maltratado. Al hacerle daño, puedes dar por seguro que un daño similar te ocurrirá a ti. Así que, tal vez, si le ayudo puedo hacer que tu deuda con él no sea tan grave. Puesto que además el agricultor fue un familiar tuyo en una vida previa, tu karma y el suyo están atados de una manera mucho más fuerte de lo normal.

El joyero estaba sorprendido. No estaba acostumbrado a que lo regañaran, ni siquiera con la amabilidad con que el monje lo había hecho. Pero lo que más le molestó fue la idea de que él, Pandú, un joyero con grandes riquezas, pudiese estar de algún modo relacionado con un agricultor del arroz. —¡Eso es imposible! —replicó a Narada.

Grinning wickedly, Mahaduta raised his fist; it was plain that he would have enjoyed giving the farmer a beating, if he'd thought his master had time for it.

As the slave climbed back onto his seat and took up the reins, the Bhikshu stepped down onto the road.

Turning to Pandu, he said, "I am rested now, and I am in your debt for the hour's ride you have given me. What better way could I have to repay you than to help this unfortunate farmer whom you have wronged? By harming him, you have made sure that some similar harm will come to you. Perhaps by helping him I can lessen your debt. Since this farmer was a relative of yours in a previous life, your karma is tied to his even more strongly."

The jeweler was astonished. He was not accustomed to being scolded, not even kindly, as the Bhikshu had done. He was even more taken aback by the notion that he, Pandu the rich jeweler, could ever have been related to a rice farmer. "That's impossible," he said to Narada.

Narada esbozó una sonrisa y dijo:

—A veces la gente más inteligente no alcanza a reconocer las verdades más básicas de la vida. Pero yo intentaré protegerte contra el daño que te has hecho a ti mismo.

Molesto por estas palabras, Pandú hizo una señal vehemente con su mano para que el esclavo pusiese el carruaje en marcha.

Devala, el agricultor, ya se había sentado de nuevo en el suelo, a un lado de la carretera, intentando reparar de nuevo la rueda. Narada lo saludó inclinando su cabeza y empezó a empujar el carromato fuera de la zanja.

Devala se levantó de un salto para ayudarlo, pero se dio cuenta de que el monje tenía mucha más fuerza de lo que se podía esperar de una persona de complexión tan ligera. El carromato estaba de nuevo en la carretera incluso antes de que Devala la hubo cruzado.

"Este monje debe ser un santo", pensó Devala en silencio. "Dioses y espíritus, invisibles protectores del Dharma, deben ayudarlo. Tal vez él pueda explicarme por qué hoy mi suerte ha dado un giro a peor".

Narada smiled and said, "Sometimes the smartest people fail to recognize the basic truths about life. But I will try to protect you against the injury you have done to yourself."

Stung by these words, Pandu raised his hand and signaled for his slave to drive on.

Devala, the farmer, had already sat down by the side of the road again to work at repairing his linchpin. Narada nodded to him and began heaving the horse cart out of the ditch. Devala jumped up to assist, but then he saw that the Bhikshu had far more strength than anyone might have expected from a man with his slight frame. The cart was upright again even before Devala had crossed the road.

"This Bhikshu is surely a sage," the farmer said to himself. "Invisible Dharma-protecting gods and spirits must be helping him. Maybe he can tell me why my luck has turned for the worse today."

Los dos hombres cargaron los sacos de arroz que Mahaduta había tirado en la zanja, y entonces, al mismo tiempo que Devala se sentaba de nuevo a arreglar la rueda, preguntó:

—Venerable Maestro del Dharma, ¿puede explicarme por qué he tenido que sufrir semejante injusticia por parte de ese rico tan arrogante a quien nunca había visto antes? ¿Es esto razonable?

Narada contestó:

—Lo que has sufrido hoy no es realmente una injusticia. Has recibido el pago exacto por el daño que tú causaste al joyero en una vida previa.

El agricultor dijo asintiendo:

—He oído a gente decir este tipo de cosas antes, pero nunca he sabido si creerlas o no.

—No es algo muy difícil de creer— dijo el monje—. Nos convertimos en lo que hacemos. Si haces buenas cosas, serás una buena persona de un modo natural, y cosas buenas le ocurrían naturalmente. Lo mismo sucede con las maldades. Actos malvados crean malas personalidades y vidas desafortunadas.

The two men reloaded the bags of rice that Mahaduta had dumped into the ditch, and then as Devala sat down with his linchpin again, he asked, "Venerable Dharma Master, can you tell me why I had to suffer such an injustice today from that arrogant rich man whom I have never seen before? Is there no sense or fairness in this life?"

Narada answered, "What you suffered today wasn't really an injustice. It was an exact repayment for an injury you inflicted upon this jeweler in a previous life."

The farmer nodded. "I have heard people say such things before, but I have never known whether to believe them."

"It's not too complicated a thing to believe," the Bhikshu said. "We become what we do. By doing good things, a person naturally becomes good, and good things naturally happen to him. The same is true of evil. Evil acts create bad personalities and unfortunate lives."

—Todas las cosas que has pensado, dicho y hecho crean la clase de persona que eres ahora, y también contienes las semillas de lo que serás en el futuro. Esta es la ley de causa y efecto, la ley del karma.

—Tal vez sea así— dijo Devala—, pero yo no soy una mala persona, y ¡mira lo que me ha ocurrido hoy!

Narada le preguntó:

—Sin embargo, ¿no es cierto que tú habrías hecho lo mismo al joyero si él hubiese sido el que bloquease la carretera y tú el que llevase un conductor tan bravucón?

Las palabras del monje hicieron que Devala enmudeciese. Se dio cuenta de que hasta el momento en que Narada apareció para ayudarlo, su mente había estado llena de pensamientos de venganza.

Exactamente lo que Narada había dicho es lo que él había estado pensando: "Ojalá hubiese sido él quien volcase el carruaje del joyero para después poder reanudar el viaje con orgullo mientras el ricachón se quedaba revolcado en el lodo".

—Sí, Maestro del Dharma —admitió—. Es verdad.

"Everything you have thought, said, and done makes up the kind of person you are now, and also contains the seeds of your future. This is the law of cause and effect, the law of karma."

"That may be," Devala cried, "but I am not such a bad person, and look what happened to me today!"

"Isn't it true, though, friend," Narada asked, "that you might have done the same thing to the jeweler today, if he'd been the one who was blocking the road, and you'd been the one with a bully for a coachman?"

Devala was silenced by the Bhikshu's words. He realized that, until Narada had come forward to help him, there had been nothing in his mind but thoughts of revenge. Angrily he had been wishing just what Narada had said: that he could have been the one to overturn the jeweler's cart and then drive on proudly while the rich man struggled in the mud.

"Yes, Dharma Master," he said.

"It is true."

Los dos hombres permanecieron en silencio hasta que la pezonera estaba lista y la rueda montada de nuevo en el carromato. El campesino seguía cavilando en las palabras del monje. Aunque Devala no había ido nunca a la escuela, él era un hombre muy pensativo y siempre intentaba descubrir el porqué de las cosas y las razones detrás de los sucesos.

De repente dijo:

—¡Pero esto es terrible! Ahora que el joyero me ha hecho daño, yo tendré que hacerle algo malo a él. Entonces él me lo devolverá, y yo volveré a herirle. ¡Y esto nunca acabará!

—No, no tiene por qué ser así —dijo Narada—. La gente tiene el poder de hacer cosas buenas y cosas malas. Encuentra un modo de pagar a este joyero tan orgulloso con ayuda en lugar de pagarle con daño. Entonces el ciclo se romperá.

Devala asintió dudosamente a la vez que subía a su carromato. Creía lo que el monje le había dicho, pero no veía como iba a tener la oportunidad de seguir sus consejos. ¿Cómo iba a ser posible que él, un pobre campesino, pudiese ayudar a un hombre tan rico?

The two men said nothing for a while, until the linchpin was sound again and the wheel remounted on the cart. The farmer was pondering the Bhikshu's words. Although Devala lacked schooling, he was a thoughtful man who always tried to figure things out and see the reasons behind events.

Suddenly he said, "But this is a terrible thing! Now that the jeweler has harmed me, I will do some harm to him. Then he will repay me in kind, and then I'll come back to get him, and it will never end!"

"No, it doesn't have to be that way," Narada said. "People have the power to do good as well as evil. Find a way to pay that proud jeweler back with help instead of with harm. Then the cycle will be broken."

Devala nodded doubtfully as he climbed back on his cart. He believed what the Bhikshu had told him, but he didn't see how he would ever have an opportunity to carry out his advice. How could he, a poor farmer, find a way to help out a rich businessman?

Invitó a Narada a sentarse junto a él y tomó las riendas del caballo.

El caballo apenas había empezado a caminar cuando se paró de repente.

—¡Una serpiente en la carretera! —gritó Devala—. Pero Narada, mirando más atentamente, vio que no era una serpiente, sino una bolsa. Bajó del carro y la recogió. Era muy pesada pues estaba llena de oro.

—La reconozco. Pertenece a Pandú, el joyero —dijo el monje—. La llevaba entre sus piernas en el carruaje. Debe habérsele caído al abrir la puerta para verte. ¿No te dije que su destino estaba unido al tuyo?

Dándole la bolsa a Devala le dijo: —Aquí tienes la oportunidad de cortar las ataduras de violencia y venganza que te atan al joyero. Cuando lleguemos a Varanasi, vete a la posada donde se hospeda y devuélvele el dinero. Él pedirá perdón por lo que te hizo, pero tú dile que no guardas ningún rencor y que le deseas lo mejor. Y escucha atentamente, vosotros dos sois muy parecidos, y ambos prosperaréis o fracasaréis juntos dependiendo de vuestras acciones.

He invited Narada to sit next to him, and took up the reins.

His horse had not drawn them far, however, when it suddenly shied aside and came to a halt. "A snake on the road!" the farmer cried.

But Narada, looking more closely, saw that it was no snake, but a purse. He stepped down from the cart and picked the purse up. It was heavy with gold.

"I recognize this; it belongs to Pandu, the jeweler," he said. "He had it in his lap in the carriage. It must have dropped out when he opened the door to look at you. Didn't I tell him that his destiny was tied to yours?"

He handed the purse to Devala. "Here is your chance to cut the bonds of anger and revenge that tie you to the jeweler. When we reach Varanasi, go to the inn where he is staying and give him his money back. He will apologize for his rudeness to you, but tell him that you hold no grudge and that you wish him success. For, let me tell you, you two are much alike, and you will fall or prosper together, depending on how you act."

23

Devala obró según las instrucciones del monje. No tenía ningún deseo de quedarse con el dinero. Sólo deseaba pagar su deuda kármica con el joyero. Al anochecer, cuando llegaron a Varanasi, fue a la posada donde los hombres ricos solían hospedarse y pidió ver a Pandú.

—¿Y quién debo decir que quiere verlo? —dijo el posadero mirando con desdén la vestimenta del agricultor.

—Dígale que un amigo ha venido a verlo —contestó Devala. En unos minutos, Pandú entró en la habitación donde Devala estaba esperando. Cuando Pandú vio al campesino ofrecerle su bolsa, se quedó sin habla, lleno de sorpresa, vergüenza, y también alivio. Pero al cabo de un momento reaccionó y salió corriendo de la habitación gritando:

—Parad, parad de golpearle.

Devala había oído quejidos provenientes de una habitación contigua. Pensaba que habría alguien agonizando de fiebre.

Devala did as the Bhikshu had instructed him. He had no desire to keep the money. He only wished to be rid of his karmic debt to the jeweler. At nightfall, when they reached Varanasi, he went to the inn where rich men stayed and asked to see Pandu.

"Who shall I say wants him?" said the innkeeper, looking scornfully at the farmer's country clothes.

"Tell him a friend has come," Devala said.

In a few minutes, Pandu entered the hall where Devala was waiting. When Pandu saw the farmer standing there, holding out his purse to him, he was struck speechless with amazement, shame, and relief. But after staring for a moment, he suddenly ran out of the room again, shouting, "Stop! Stop beating him!"

Devala had heard groans coming from a room nearby—he had thought it was someone dying of a fever.

Al poco, un hombre alto y corpulento entró con su espalda desnuda cubierta de sangre, y amoratada como consecuencia de los golpes recibidos. Era Mahaduta, el esclavo del joyero. Un oficial de policía lo seguía con un látigo en una mano y un palo en la otra.

Al ver a Devala, Mahaduta se sorprendió y dijo:

—Mi amable amo pensó que le había robado la bolsa. Hizo que me golpearan para que confesase. Este es mi castigo por hacerte daño siguiendo sus órdenes.

Y a trompicones y sin dirigir palabra a su amo, salió fuera y se perdió en la noche. Pandú lo vio irse, pensando que debía decir algo. Pero era demasiado orgulloso para pedir el perdón de un esclavo, especialmente delante de otra gente.

El joyero no había tenido la oportunidad de saludar a Devala, ni de coger su bolsa. Justo cuando iba a hablar, un hombre corpulento vestido con ricas sedas entró en la habitación gritando:

—Pandú, me contaron lo que ha pasado.

But in a moment a tall, burly man staggered into the hall, his bare back red and black with welts and bruises. It was none other than Mahaduta, the jeweler's slave. A police officer followed him, with a whip in one hand and a cane in the other.

Seeing Devala, Mahaduta started with surprise, and then said hoarsely, "My kind master thought I'd stolen that purse. He had me whipped so that I would confess. This is my punishment for hurting you at his bidding." And he stumbled out into the night, without a word to his master.

Pandu watched him go, thinking that he ought to say something to him. But he was too proud to apologize to a slave, especially in front of so many other people.

The jeweler still had not greeted Devala, nor taken back his purse. Just as he was about to speak, a fat man dressed in rich silks bustled into the room, saying loudly, "Ah, Pandu, they told me what was happening."

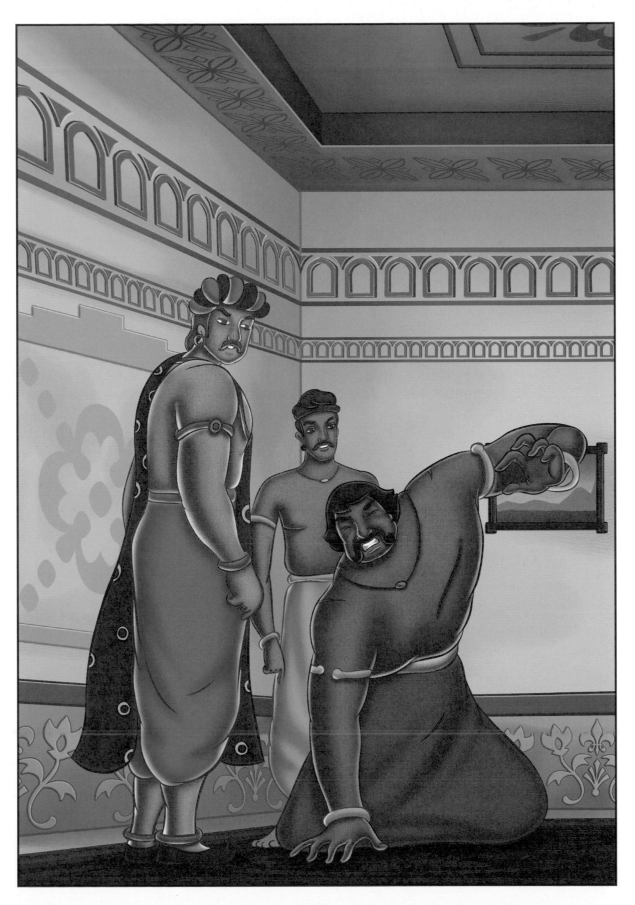

—La rueda de la fortuna gira y gira, ¿no es así? Hace diez minutos parecía que ambos estábamos arruinados y ahora todo vuelve a estar bien. Venga, toma la bolsa, por lo que más quieras, y dale las gracias a este buen hombre.

Pandú tomó la bolsa e inclinó su cabeza ligeramente hacia el agricultor:

—Yo me porté mal contigo y como pago tú me has ayudado. No se cómo podré pagarte por lo que has hecho.

—¿Cómo? ¡Dale una recompensa, Pandú! —el hombre gordo chilló—. ¡Recompénsalo!

Inclinándose hacia Pandú, Devala dijo: —Te he perdonado y no necesito ninguna recompensa. Si no hubieses ordenado a tu esclavo volcar mi carro, posiblemente nunca habría tenido la oportunidad de conocer al Venerable Narada, ni de oír sus enseñanzas, las cuales me han beneficiado más que cualquier cantidad de dinero. He tomado la resolución de nunca volver a dañar a otro ser vivo, ya que no quiero que me vuelvan a suceder calamidades como consecuencia de ello.

Fortune's wheel turns round and round, does it not? Ten minutes ago it seemed like we were both ruined men, and now all is well again, hmm? Come on, then, take the purse, for heaven's sake, and thank the good fellow."

Pandu took the purse and bowed slightly to the farmer. "I wronged you, and you have helped me in return. I do not know how to repay you."

"Why, give him a reward, Pandu, what else?" the fat man boomed. "Give him a reward!"

Bowing to Pandu in his turn, Devala said, "I have forgiven you and need no reward. If you hadn't ordered your slave to overturn my cart, I might never have had the chance to meet the Venerable Narada and hear his wise teaching, which has benefited me more than any amount of money."

"I have resolved never to harm any being again, since I don't want to invite injury in return."

—Esta resolución ha hecho que me sienta seguro y en control de mi vida de una manera que nunca antes había sentido.

—¡Narada! —dijo Pandú—. ¡Así que él te ha enseñado! Él me instruyó a mí también pero me temo que no escuché muy bien… Toma esto, buen hombre—. Y dio a Devala varias piezas de oro de su bolsa. —Y dime, ¿sabes dónde se hospeda el Venerable Maestro del Dharma en Varanasi?

—Sí, lo acabo de dejar en el monasterio que hay junto a la entrada Oeste de la ciudad —Devala contestó—. De hecho, él me dijo que era posible que tú quisieses verlo. Me pidió que te dijese que puedes visitarlo mañana por la tarde.

Pandú se inclinó de nuevo, esta vez con mayor dignidad y reverencia.

—Ahora sí que tengo una verdadera deuda contigo —dijo Pandú—. Y también creo en algo que Narada me dijo. Él dijo que tú y yo fuimos parientes en vidas previas y que nuestros destinos discurren juntos. Parece que hasta hemos encontrado al mismo maestro.

El hombre gordo había estado escuchando impacientemente.

"This resolve has made me feel safe and in control of my life in a way that I have never felt before."

"Narada!" said Pandu. "So he has instructed you! He instructed me, too, but I'm afraid I didn't listen too well… Take this, good man"—he gave Devala some gold from his purse—"and tell me, do you know where the Venerable Dharma Master is staying in Varanasi?"

"Yes, I have just left him at the monastery next to the West Gate," Devala answered. "In fact, he told me you might want to see him. He asked me to say that you may call on him tomorrow afternoon."

Pandu bowed again, this time deeply and reverently. "Now I am truly indebted to you," he said. "And I also believe something else he told me. He said you and I were relatives in former lives and that our fates are tied together. It seems we have even found the same teacher."

The fat man had been listening impatiently.

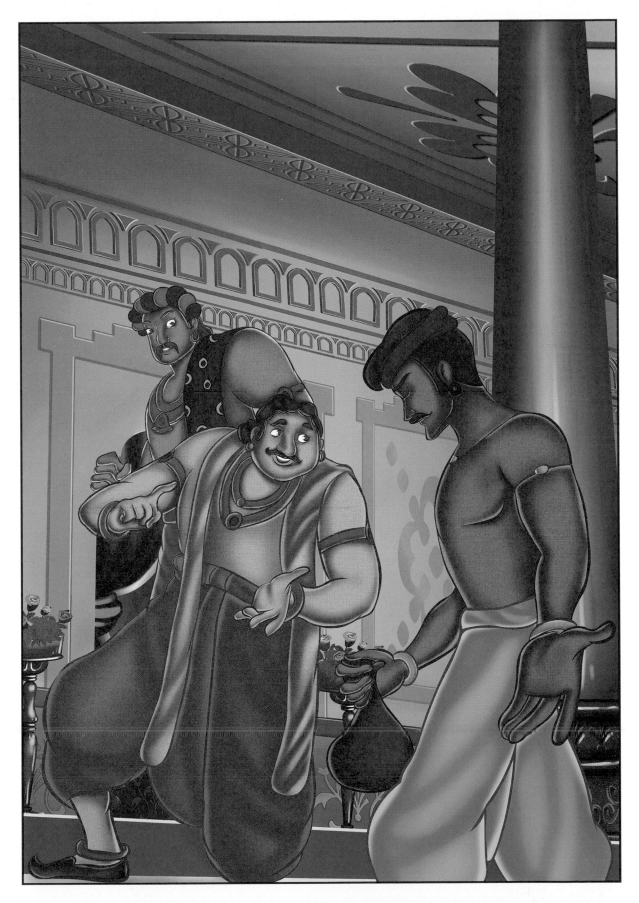

—Sí, sí, toda esta cháchara filosófica está muy bien —dijo alzando la voz—, ¡pero ahora hablemos de negocios! Y girándose hacia Devala continuó:

—Deja que me presente, soy Mallika el banquero, amigo de Pandú. Tengo un contrato con el secretario del rey para proveer el mejor arroz para su cocina, pero hace tres días, mi competidor, deseando mi fracaso frente al rey, compró todo el arroz en Varanasi. Si no hago la entrega mañana estaré arruinado. Pero ahora, amigo mío, tú estás aquí, ¡y eso es lo que importa! ¿Es tu arroz de primera calidad? ¿Fue dañado por el idiota de Mahaduta? ¿Cuánto arroz tienes? ¿Tienes un acuerdo para venderlo? ¡Habla!

Sonriendo ante la impaciencia del banquero, Devala contestó: —He traído mil quinientas libras de arroz de primera calidad. Sólo uno de los sacos se mojó un poco en el barro. No tengo nada apalabrado y tenía previsto llevarlo al mercado mañana por la mañana.

—¡Espléndido! ¡Espléndido! ¿Al mercado dices? —Mallika exclamó frotándose las manos—. Supongo que aceptarás el triple de lo que obtendrías en el mercado, ¿no?

"Yes, yes, this high-minded talk is all very well," he finally cried. "But let's get down to business!"

He turned to Devala. "Let me introduce myself. I am Mallika, the banker, a friend of the good Pandu here.

"I have a contract with the king's steward to deliver the best rice for the king's table, but three days ago my business rival, wishing to destroy my flourishing trade with the king, bought up all the rice in Varanasi."

"If I don't deliver tomorrow, I'm ruined. But now, my friend, you are here, and that's the point! Is your rice of fine grade? Was it damaged by that idiot Mahaduta? How much is there of it? Is it contracted? Speak up!"

Smiling at the banker's eagerness, Devala answered, "I have brought fifteen hundred pounds of first grade rice. Only one bag got a little wet in the mud. None of it is spoken for, and I was planning to take it to the market in the morning."

"Splendid! Splendid! To the market, you say?" Mallika cried, rubbing his hands. "I expect you'll take three times the price that you could get at the market, will you?"

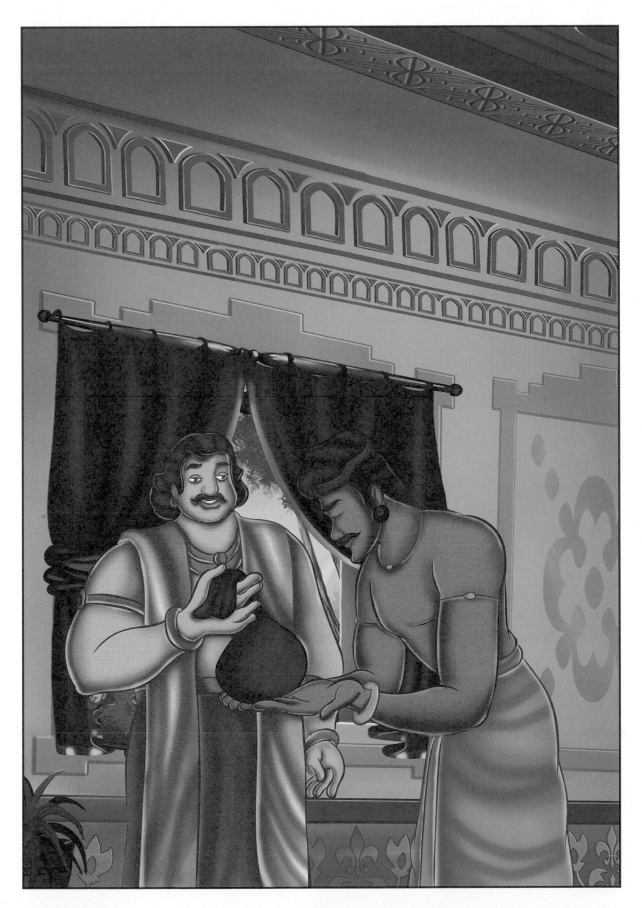

—Lo aceptaré —respondió Devala. —Claro que sí —dijo el banquero.

Llamó a sus sirvientes e hizo que descargaran el carro de Devala inmediatamente, y se dispuso a pagarle generosamente. Al mismo tiempo que contaba y ponía las monedas de oro en las manos de Devala, le dijo a Pandú:

—Un hombre nunca sabe de dónde vendrá la ayuda cuando la necesita. Nunca pierdas la esperanza, pues la vida es un maravilloso misterio, ¿no?…Y esto completa el pago.

—¡No lo malgastes en el juego! —dijo Mallika a Devala—. Mientras se retiraba riéndose para continuar con su cena.

"I will," Devala agreed. "Of course you will," the banker beamed. Calling for his servants, he had Devala's cart unloaded immediately.

He made his generous payment to the farmer in gold, saying to Pandu, as he counted the coins into Devala's hands, "A man never knows where help will come from when he needs it. Never lose hope, for life is indeed a wonderful mystery, isn't it? There you are, my good sir!" he said to Devala. "Don't gamble it all away!" Chuckling to himself, Mallika then returned to his dinner.

Devala no tenía intención de gastárselo en juegos o apuestas. Él ya había tomado la resolución de ir al monasterio donde el Venerable Narada vivía y ofrecer la mitad de su beneficio a la Triple Joya. El resto se lo llevó a su casa y lo gastó con cuidado a medida que lo necesitaba. A partir de ese día vivió prósperamente. Debido a su honestidad y sabiduría la gente de su pueblo llegó a considerarlo como su líder.

Devala had no intention of gambling his money away. He had already resolved to go to the monastery where the Venerable Narada lived and offer half of his profit to the Triple Jewel. The rest he took home and spent carefully as he needed it. From that day on he always prospered. Because of his honesty and wisdom, the people of his village naturally came to consider him their leader.

Al día siguiente por la tarde, Pandú fue al monasterio junto a la entrada Oeste de la ciudad. Narada lo recibió en la sala de huéspedes. Después de haber oído al joyero contar lo acontecido en la posada, el monje le dijo:

—Todavía tienes muchas dudas y preferiría no darte la explicación completa de lo que pides, pues no la aceptarías. Tu fe no es tan completa como la del agricultor Devala, así que aún tendrás que pasar más pruebas antes de poder convertirte en un verdadero discípulo de Buda.

—Venerable Maestro del Dharma —dijo Pandú humildemente—. Le imploro que me lo explique, pues así podré seguir mejor sus sabios consejos.

—Muy bien —dijo el monje—. Recuerda lo que te voy a decir y reflexiona bien sobre ello. En el futuro podrás llegar a comprenderlo. Te he explicado ya como todos y cada uno de nosotros crea su propio destino en función de lo que hace. Tu amigo rico, Mallika, por ejemplo, tiene muchas bendiciones, aunque muy poca sabiduría.

The next afternoon, Pandu went to the monastery near the West Gate. Narada received him in the guest hall. Having heard the jeweler's account of what had happened at the inn, the Bhikshu said, "You still have many doubts, and so I would prefer not to give you all the explanation that you ask for. You would not accept it. Your faith is not yet as deep as the farmer Devala's, and you still have to undergo many trials before you become a true disciple of the Buddha."

"Venerable Dharma Master," said Pandu humbly, "I beg you to give me the explanation you spoke of, so that I will be better able to follow your wise advice."

"Very well," the Bhikshu said. "Then remember what I say and contemplate it well. In the future you may come to understand. I have told you how each and every one of us makes his own destiny, in accordance with what he does. Your rich friend Mallika, for example, has many blessings, though he has little wisdom."

—Cree que la rueda de la fortuna, como él la llama, da vueltas y vueltas misteriosamente. Pero no hay misterio alguno. Su prosperidad y felicidad no tienen nada que ver con ninguna fuerza fuera de sus acciones, palabras y pensamientos. Vida tras vida él es rico y feliz simplemente porque vida tras vida él ha sido amable y generoso. Yo no creo que él hubiese tratado a ningún esclavo del modo en que tú trataste a Mahaduta.

—Es cierto —dijo Pandú—. Intentó frenarme. Pero yo estaba furioso y no lo escuché.

—Sí —dijo Narada asintiendo—. Y no pienses que estás libre de la deuda contraída con Mahaduta por haber hecho que lo apaleasen de un modo tan cruel y sin razón. No pienses que tú estás solo en este mundo, o que tus acciones no tienen consecuencias.

—Recuerda que tarde o temprano cada una de tus acciones, ya sean buenas o malas, grandes o pequeñas, te será devuelta del mismo modo y en la cantidad exacta.

"He believes that the wheel of fortune, as he calls it, turns round and round mysteriously. But there is no mystery. His prosperity and contentment have nothing to do with any force outside of his own actions, words, and thoughts. In life after life he is wealthy and contented, simply because in life after life he has been kind and generous. I don't think he would have treated any slave the way you treated your slave Mahaduta."

"Indeed," Pandu said. "He did try to restrain me. But I was angry and did not listen."

"Yes," Narada said, nodding. "And don't think that you are free of the debt you owe Mahaduta for having had him so cruelly beaten without cause. Don't think that you are alone in this world, or that your actions have no consequences."

"Remember that sooner or later your every action, whether good or evil, however small it may be, will be returned to you in kind and in the exact amount."

De ahí el dicho: "Planta legumbres y cosechará legumbres; planta melones y cosechará melones".

—La bondad produce cosas buenas, mientras que la maldad trae consigo cosas malas. Trata a todas las criaturas vivas del mismo modo que a ti te gustaría ser tratado. Es verdad que tú no eres distinto del resto. Estás hecho de la misma sustancia básica que el resto de seres vivos; por eso, en cada una de tus acciones y pensamientos, estás relacionado con el resto de seres vivos de un modo incluso más íntimo que la relación que existe entre los órganos de tu cuerpo.

—Si realmente puedes comprender esto en tu corazón —continuó Narada—, ya no tendrás más deseos de causar daño a otros seres vivos, porque comprenderás que ellos son iguales a tí. Sentirás sus sufrimientos como los tuyos propios, y siempre intentarás ayudarlos. Deja que este verso te sirva de guía:

*Aquel que causa daño a*
*otros se daña a sí mismo;*

*Aquel que ayuda a otros*
*se ayuda a sí mismo aún más.*

*Para encontrar el Camino puro,*
*el Sendero de Luz,*

*Abandona la falsedad*
*de que tienes un ego.*

"As the saying goes, 'Plant beans, and you harvest beans; plant melons, and you harvest melons.' Goodness brings about good, while evil is repaid with evil.

"Treat all living creatures as you would wish to be treated yourself. Actually, you have no separate self. You are of the same basic substance as all other living beings; and so, in your every thought and act, you are related to them even more closely than the organs of your body are related to each other.

"If you can truly understand this in your heart," Narada continued, "you will have no more desire to harm other beings, because you will know that they are the same as you. You will feel their sufferings as your own, and so you will always try to help them. Let this verse guide you:

*He who hurts others*
*hurts himself;*

*He who helps others*
*helps himself even more.*

*To find the pure Way,*
*the Path of Light,*

*Let go of the falsehood*
*that you have a self."*

Pandú se levantó y se postró tres veces ante el Maestro del Dharma, algo que nunca antes había hecho con nadie.

Entonces dijo: —No olvidaré tus palabras, Maestro del Dharma. Voy a establecer un monasterio en mi ciudad natal Kaushambi, para que la gente de allí tenga la oportunidad de escuchar este Dharma tan maravilloso. Sólo espero que el Maestro del Dharma, con su compasión, me ayude a completar este voto que ahora hago.

Pandu rose and bowed down three times to the Dharma Master, something that he had never before done to anyone.

Then he said, "I will not forget your words, Dharma Master. I will have a monastery established in my hometown, Kaushambi, so that the people there will have the opportunity to hear the wonderful Dharma. I only hope that the Dharma Master will compassionately help me fulfill my vow."

Los años pasaron y Pandú, el joyero, prosperó. Tomó refugio con Narada y se convirtió en su discípulo, y fue uno de los que dio más donaciones y ofreció protección al monasterio de Kaushambi, que él mismo había ayudado a que Narada fundase. Siempre que podía poner aparte sus negocios, iba a escuchar las lecturas y explicaciones de los Sutras que daba el monje Panthaka, abad del monasterio y discípulo veterano de Narada. Pandú siempre estaba dispuesto a recibir las instrucciones de Narada cuando éste visitaba la ciudad, pero luego nunca ponía las enseñanzas que oía en práctica. Él pensaba que la cultivación era cosa de monjes, y sus negocios lo mantenían demasiado ocupado.

Years passed, and Pandu the jeweler prospered. He took refuge with and became a disciple of Narada, and was a leading donor and protector of the monastery at Kaushambi he had helped Narada to found. Whenever his business allowed, he went to listen to Sutra lectures given by the Bhikshu Panthaka, the abbot of the monastery and a senior disciple of Narada. Pandu always looked forward to receiving Narada's instructions whenever he visited town, but he never put the teachings he heard into practice. He told himself that cultivation was the duty of monks and that his own worldly business kept him too busy.

Un día, transcurridos seis o siete años desde su primer encuentro con el Venerable Narada en el camino hacia Varanasi, el taller de Pandú recibió un encargo muy especial. El rey del país vecino, al otro lado de las montañas, deseaba una nueva corona real. Él había oído hablar de la gran calidad de los productos de joyería de Pandú. La corona tenía que ser de oro con incrustaciones de las mejores piedras preciosas de toda la India. Los reyes de la India siempre habían tenido debilidad por las piedras preciosas y Pandú había soñado a menudo con convertirse en el joyero oficial de una casa real, pues entonces él tendría asegurada no sólo prosperidad sino también grandes riquezas. Ahora su oportunidad había llegado.

Pandú dio órdenes de comprar los mejores zafiros, rubíes y diamantes que se pudiesen encontrar. Invirtió la mayor parte de su patrimonio en ellos. Diseñó y trabajó en la corona él mismo. Después, usando una escolta numerosa de hombres armados para protegerse de los ladrones de las montañas, se dispuso a viajar al país vecino.

One day, six or seven years after his first meeting with the Venerable Narada on the road to Varanasi, Pandu's workshop received an unusual order. The king of the neighboring country across the mountains desired a new royal crown. He had heard of the beauty of Pandu's jewel work. The crown was to be wrought in gold and set about with the costliest gems to be found in all of India. Indian kings had always had a weakness for precious stones, and Pandu had often dreamed of becoming the supplier of jewelry to a royal house. Then he would be assured not simply of prosperity, but of great riches. Now his chance had arrived.

Pandu immediately sent out orders for the finest sapphires, rubies, and diamonds that could be had. He invested the greater part of his wealth in them. He designed and worked the crown himself. Then, gathering together a strong escort of armed men to ensure his safety against robbers in the mountains, he set out for the neighboring kingdom.

Todo estaba bien hasta que llegaron a un estrecho sendero cerca de la cima de la montaña. Allí un grupo de fieros ladrones descendieron con estrépito sobre la caravana.

All was well until they reached a narrow pass at the mountains' summit. There, a troop of fiercely yelling brigands descended from the heights.

Aunque la escolta de Pandú era mayor en número, los caballos asustados y el sendero tan estrecho dificultaron la defensa.

En cuestión de minutos, los hombres de Pandú habían sido desarmados. Dos hombres sucios y sin afeitar abrieron la puerta del carruaje del joyero, lo sacaron fuera y después de tirarlo al suelo empezaron a golpearlo. Pandú aguantó los golpes, pensando sólo en la bolsa escondida bajo sus ropas, apretándola contra su pecho. En la bolsa estaba la corona y una colección de piedras preciosas con las que él había planeado tentar a la hija del rey y a la reina.

—¡Parad un momento! — se oyó gritar—. Era una voz que Pandú había oído antes, aunque al principio no podía recordar de quién era. —¡Parad de golpearle he dicho!

Pandú abrió sus ojos. Allí delante de él y vestido con pieles de animales y un pañuelo rojo en su cabeza estaba Mahaduta, el esclavo que él había hecho apalear unos años antes. Pandú había oído que entre los ladrones de las montañas, el jefe más importante era un antiguo esclavo de Kaushambi. Lo que nunca se le había ocurrido era pensar que fuese su propio esclavo.

Pandu's escort was greater in number, but the shying horses and steep sides of the mountain pass hampered the defenders in battle.

In a matter of minutes Pandu's men were disarmed. Two unshaven and dirty men threw open the door to the jeweler's carriage, pulled him out, flung him to the ground, and began kicking him and beating him with sticks. Pandu bore the blows, thinking only of the purse that was concealed in his robes, clutching it against his chest. In it lay the crown and a store of other jewels with which he had planned to tempt the king's daughter and the queen.

"Stop a moment, my boys!" a voice called out—a voice that Pandu had heard before, though at first he could not recall whose it was. "Stop beating him, I said!"

Pandu opened his eyes. There, standing over him, dressed in rough leather clothing, his long hair bound in a kerchief of red silk, was Mahaduta, the slave he'd had whipped years before. Pandu had heard that the greatest of all robber chieftains in the mountains was a former slave from Kaushambi. But it had never occurred to him that the slave might have been his own.

—Comprobad que es lo que tiene en su mano derecha —Mahaduta ordenó con firmeza—. Uno de los hombres que le había estado golpeando puso una rodilla en el estómago de Pandú y la otra sobre el brazo separado de su cuerpo, y luego tomó sin mayores problemas la bolsa del joyero.

—Yo guardaré eso. Yo ya he pagado por ello —dijo Mahaduta—. Tomó la bolsa y la guardó bajo su ropa.

—¿No? Amo —preguntó a Pandú en un tono cínico y lleno de amargura.

—¿Lo matamos entonces? —inquirió uno de los ladrones a su jefe.

Mahaduta miró a Pandú, pero en lugar de enfado o miedo, algo que podía haber aumentado su odio, él sólo vio tristeza y resignación en los ojos de su víctima. Él no sabía que en ese momento Pandú se estaba acordando de las palabras del Venerable Narada, tan claras como si las hubiese oído ayer: "No pienses que estás libre de la deuda que debes a Mahaduta por haber hecho que lo apaleasen de un modo tan cruel y sin razón. No pienses que tú estás solo en este mundo, o que tus acciones no tienen consecuencias…

"See what he's holding in his right hand," Mahaduta quietly commanded.

One of the men who had been beating him planted his knee on Pandu's stomach, while the other forced Pandu's arm away from his chest. The jeweler's purse was mercilessly pried from his hand.

"I'll take that," Mahaduta said. "I've paid for it already." He took it and put it inside his jacket. "Have I not, master?" he asked Pandu, his voice full of scorn and bitterness.

"Shall we finish him, then?" One of the robbers asked the chieftain.

Mahaduta looked down at Pandu, but instead of anger or fright, which might have enraged him in turn, he saw only sadness and resignation in his victim's eyes. He had no way of knowing that Pandu was remembering the Venerable Narada's voice saying, as clearly as if he'd heard it yesterday: "Don't think that you are free of the debt you owe Mahaduta for having him so cruelly beaten without cause. Don't think that you are all alone in this world and that what you do has no consequences…"

Si realmente puedes comprender esto en tu corazón, ya no tendrás más deseos de causar daño a otros seres vivos, porque comprenderás que ellos son igual que tú. Sentirás sus sufrimientos como los tuyos propios".

Pandú suspiró. De repente se dio cuenta que nunca había aceptado las instrucciones de su maestro. Nunca había creído realmente que eran para él, sino para que se las aplicaran a otros. Iba a morir ahora, de un modo violento y antes de su hora, sin la oportunidad de despedirse de su familia. Él había sido el causante de todo, ocurría por su propia culpa.

Ni siquiera una vez se le había pasado por la cabeza el pensar en la suerte de su esclavo Mahaduta. Los sufrimientos que debía haber pasado en las montañas durante los helados días de invierno; la senda del mal que había tomado, llena de desesperación y peligro, en la que Pandú había empujado a Mahaduta. Todas esas consideraciones nunca habían cruzado en su mente. Pero ahora había llegado el momento de pagar. Se aclaró la garganta y habló humildemente a Mahaduta:

—Es verdad, tú ya has pagado.

"If you can truly understand this in your heart, you will have no more desire to harm other beings, because you will know that they are the same as yourself. You will feel their sufferings as your own."

Pandu sighed. He suddenly realized that he had never really accepted his teacher's instructions. He had never truly believed that they applied to him as well as to others. If he was to die now, violently and before his time, with no chance to say farewell to his family, it was all his own doing, it was all his own fault.

Not once had he thought about what had happened to his runaway slave Mahaduta. The man's sufferings in the mountains during the freezing winters, and the desperation and danger of the evil calling that he, Pandu, had pushed Mahaduta into—such considerations had simply never crossed his mind. Now the time of payment had come.

He coughed and said humbly to Mahaduta, "It's true. You have paid."

Giró su cabeza y se quedó esperando el siguiente golpe.

Para su sorpresa, Mahaduta dijo a sus hombres:

—Dejadlo ahí en el suelo. Su carruaje tiene un compartimento secreto bajo el asiento del conductor. Abridlo y encontraréis un cofre lleno de monedas de oro. Las dividiremos en partes iguales. Hoy es un gran día para todos nosotros.

Los bandidos saltaron al carruaje con gran excitación. Pero Mahaduta no sentía ningún tipo de alegría al llevar a cabo su venganza. Había pasado muchas mañanas heladas deseando que llegase este momento. Y ahora que por fin había llegado, sentía pesadez y remordimiento, como si estuviese maltratando a un miembro de su propia familia. Se dirigió a sus hombres diciéndoles que parasen de golpear a los hombres de Pandú.

—No matéis a ninguno; preocupaos sólo de coger todo lo que podáis. El cofre lleno de oro les sirvió de distracción. Estaba escondido en el sitio exacto donde Mahaduta lo había puesto muchas veces en años pasados.

El jefe de los ladrones dejó que Pandú y sus hombres abandonasen las montañas y volviesen a Kaushambi.

Then he looked away from the robber chieftain and waited for the next blow. To his surprise, Mahaduta told his men, "Let him lie. There is a false bottom in his carriage, underneath the coachman's seat. Knock it loose and take out the chest of gold pieces that will certainly be there. We'll divide it equally. This is a great day for all of you."

The men jumped up eagerly. But Mahaduta himself felt little joy at his revenge, though he had spent many a cold morning fervently wishing for it. Now that it had come, he felt heaviness and regret, as if he were hurting a member of his own family. He went among his men, telling them to stop beating Pandu's escort.

"Spoils only," he said. "No killing." And he distracted them with news of the chest of gold which was, indeed wedged behind the false bottom of the carriage, just where Mahaduta himself had hidden it many times in past years.

The robber chieftain let Pandu and his men go free down the mountain back to Kaushambi.

Esa noche, cuando sus cómplices estaban contando el oro y riéndose, Mahaduta escondió la bolsa que había cogido a Pandú en una grieta de su cueva. No volvió a tocarla en mucho tiempo.

That evening, when his accomplices were counting the gold and rejoicing, he hid the purse in a crevice in his cave. He didn't take it out or look at it again for a long time.

Después del robo, Pandu ya no era un hombre rico. Había perdido la mayoría de su capital, y sin capital un joyero puede hacer poco. Pero él no culpó a nadie por su pérdida, sino a sí mismo.

—Cuando era joven me porté mal con otras personas —dijo a su familia—. Lo que me ha ocurrido ahora es simplemente el pago por mi dureza y arrogancia.

Arrepentirse y cultivar según las enseñanzas de Buda le llegó ahora de un modo natural, y adoptó la costumbre de recitar el nombre de Buda siempre que su mente no estaba ocupada en negocios o hablando.

Gradualmente se dio cuenta que en el fondo de su corazón ahora era más feliz que cuando era rico. Lo único que resentía era que ya no podía hacer ofrendas al monasterio para apoyar el Dharma o ayudar a la gente pobre de la ciudad, algo que antes nunca había pensado mucho en hacer.

After the robbery, Pandu was no longer a rich man. He had lost much of his capital, and without capital a jeweler can do little. But he blamed no one for his losses but himself. "In my younger years I was very hard on people," he told his family. "What has happened to me now is simply the payment for my harshness and arrogance." Repenting and cultivating according to the Buddha's teachings now came very naturally to him, and he took to reciting the Buddha's name whenever his mind was not occupied with conversation or business. Gradually he realized that, deep down in his heart, he was happier now than he had been when he was rich. His only regret was that he was no longer able to make so many offerings to the monastery, to support the Dharma, or to help the poor of the town— something he had never thought to do much before.

*Varios años pasaron. Un día, Panthaka, abad del monasterio en Kaushambi, fue atacado por la banda de Mahaduta mientras caminaba solo en un peregrinaje a través de las montañas.

*Again, several years passed by. Then one day Panthaka, abbot of the monastery at Kaushambi, was set upon by Mahaduta's robber band while walking alone on a pilgrimage across the mountains.

Panthaka no llevaba dinero y Mahaduta le dio un par de golpes y lo dejó seguir. Panthaka no caminó más ese día.

A la mañana siguiente, al poco de empezar a caminar, oyó gritos de lucha junto a la carretera. Un hombre chillaba de dolor. Panthaka se apresuró con la esperanza de disuadir a los bandidos para que dejasen de golpear al viajero. Pero en lugar de un inocente viajero, era el propio Mahaduta quien era atacado. Estaba rodeado por una docena de sus propios hombres como un león acorralado por perros de caza. Con su palo golpeó a varios de los ladrones pero al final sucumbió. Fue golpeado con su propio palo hasta que se quedó inmóvil en el suelo.

Panthaka se quedó escondido hasta que los bandidos se fueron. Entonces se acercó a Mahaduta y vio que le quedaba poca vida. Panthaka bajó a un riachuelo que discurría entre las rocas no lejos de allí. Llenó su cuenco con agua fresca y lo llevó al hombre moribundo.

Mahaduta bebió y abrió sus ojos lentamente. Chilló de dolor:

—¿Dónde están esos bandidos a los que yo he llevado a la victoria tantas veces? Habrían sido ahorcados hace tiempo si no hubiese sido por mí.

Panthaka carried no money, and so Mahaduta beat him briefly and let him go. Panthaka went no further that day.

The next morning, before he had walked far, he heard the sounds of men fighting just off the road. One man was roaring in pain. Panthaka hurried to the scene, hoping to dissuade the robbers from beating yet another traveler. But instead of an innocent traveler, it was Mahaduta himself who was being attacked. He stood in the midst of a dozen of his own men like a lion cornered by hounds. His great stick hit several of the other robbers, but at last he himself fell. He was beaten with his own stick until he lay as if dead.

Panthaka stayed hidden till the robbers left. Then he found that Mahaduta had little life left. Panthaka walked down to the stream that ran among the rocks nearby. He filled his bowl with fresh water and brought it to the dying man.

Mahaduta drank a little and opened his eyes. He groaned and cried out, "Where are those rotten thieves that I have led to victory time after time? They'd have been hanged long ago if it weren't for me!"

—Cálmate —dijo Panthaka—. No pienses en tus camaradas ni en las fechorías que habéis hecho juntos, piensa en tu destino. Ahora bebe un poco de agua, y déjame que te vende las heridas. Tal vez tu vida se pueda salvar.

Mahaduta miró atentamente a Panthaka por primera vez.

—¡Tu eres el monje a quien yo apaleé ayer mismo! Y ahora vienes a salvarme la vida. Haces que me avergüence.

Bebió un poco más de agua y miró alrededor suyo.

—Y los otros han escapado. ¡Perros desagradecidos! Yo fui quien les enseñé a pelear y ahora se vuelven contra mí.

—Tú les enseñaste a pelear —dijo Panthaka, —y te pagan peleando. Si les hubieses enseñado amabilidad, te hubiesen pagado con amabilidad. Has recibido la cosecha que tú sembraste.

—Lo que dices es verdad. Muchas veces temí que se volverían contra mí… ¡Ay! ¡Ay! —se quejó cuando Panthaka intentó levantarlo por el hombro.

—No creo que puedas salvar mi vida, pero dime, si puedes, cómo me puedo salvar del sufrimiento de los infiernos que me merezco como pago por una vida llena de maldad.

"Calm down," Panthaka said. "Don't think of your comrades, or of the evil road you have taken together. Think of your own fate and drink this water, and let me dress your wounds. Perhaps your life can still be saved."

For the first time Mahaduta looked closely at Panthaka. "You are the monk to whom I gave a beating only yesterday! And now you have come to save my life. You shame me."

He drank some more water and looked around him. "And the others have run off, the ungrateful hounds! I was the one who taught them to fight, and now they have turned on me."

"You taught them to fight," Panthaka said, "and they have repaid you by fighting. If you had taught them kindness, they would have repaid you with kindness. You have reaped the harvest that you planted yourself."

"What you say is true. I've often been afraid they would turn on me—ah! ah!" He groaned as Panthaka tried to lift him by the shoulder. "I don't think you can save my life. But tell me, if you can, how I can be saved from the pains of the hells, which I know I deserve as payment for my evil life.

Últimamente he sentido como si mi final estuviese cerca, y la angustia de lo que viene después me pesaba como si llevase una gran piedra oprimiéndome el pecho; a veces casi no podía ni respirar.

—Arrepiéntete sinceramente de tus ofensas y refórmate —Panthaka le dijo—. Arranca de raíz la codicia y el odio de tu corazón y, en su lugar, llénalo de pensamientos de amor hacia todos los seres vivos.

—Pero yo desconozco esos buenos sentimientos —dijo Mahaduta—. Mi vida ha sido una historia llena de maldades, sin nada bueno. ¡Voy a ir directo a los infiernos sin tener la oportunidad de ir por el Camino noble que tú has caminado, Maestro del Dharma!

—No desesperes —contestó Panthaka—. Y no infravalores el poder del arrepentimiento y la reforma. Recuerda que un único pensamiento sincero de arrepentimiento puede borrar diez mil eones llenos de maldades.

Por ejemplo, ¿has oído hablar del gran ladrón Kandata, que murió sin arrepentirse y cayó a los Infiernos Ininterrumpidos? Después de haber sufrido allí durante varios eones, el Buda Sakyamuni apareció en el mundo y obtuvo la iluminación bajo el árbol de Bodhi.

"Lately I have felt that my death cannot be far off, and the dread of what will come after has weighed like a heavy stone on my chest, so that sometimes I've hardly been able to breathe."

"Sincerely repent of your offenses and reform," Panthaka said. "Root out the greed and hatred from your heart, and fill it instead with thoughts of kindness for all beings."

"Alas, I know nothing of kindness," Mahaduta said. "My life has been a story of much evil and no good. I will go to the hells and never escape along the noble Path that you have walked, Dharma Master!"

"Don't despair," Panthaka answered, "and don't underestimate the power of repentance and reform. It is said that a single heart felt thought of repentance can wipe away ten thousand eons' worth of evil.

For example, do you know of the great robber Kandata, who died unrepentant and fell into the Unintermittent Hells? After he had been suffering there for several eons, Shakyamuni Buddha appeared in the world and accomplished enlightenment beneath the Bodhi tree.

Los rayos de luz que en ese momento salieron de entre sus cejas penetraron en los infiernos e inspiraron a los seres que allí sufrían a tener esperanza y a buscar una nueva vida. Mirando hacia arriba, Kandata vio al Buda meditando bajo el árbol de Bodhi y exclamó:

—¡Sálvame, sálvame, Tú, Honrado por el Mundo! Yo estoy sufriendo aquí por todas las maldades que he cometido, ¡y no puedo salir! ¡Ayúdame a andar el Camino que tú has caminado, Honrado por el Mundo!

Buda miró hacia abajo y vio a Kandata.

—Te guiaré en tu liberación —dijo al ladrón—, pero debe ser mediante el uso de tu propio buen karma. ¿Qué cosas buenas hiciste, Kandata, cuando estabas en el mundo de los hombres?

Kandata permaneció en silencio, pues había sido un hombre muy cruel. Pero el Honrado por el Mundo, con su ojo de Buda, miró en el pasado de Kandata y vio que una vez, cuando iba caminando por un sendero en el bosque, evitó pisar una araña y pensó: "La araña no ha herido a nadie, ¿por qué habría de aplastarla?" Al ver esto, el Buda envió una araña para que tejiese un hilo muy fino que bajase a los Infiernos Ininterrumpidos.

"The rays of light that shone forth from between his brows at that moment penetrated all the way to the hells and inspired the beings there with new life and hope.

Looking up, Kandata saw the Buddha seated in meditation beneath the Bodhi tree, and he cried out, 'Save me, save me, World Honored One! I am suffering here for the evils I have done, and I cannot get out! Help me walk the Path you have walked, World Honored One!'

The Buddha looked down and saw Kandata. 'I will guide you in your escape,' he said to the robber, 'but it must be with the help of your own good karma. What good did you do, Kandata, when you were in the world of men?'

"Kandata remained silent, for he had been a cruel man. But the World Honored One, with his Buddha Eye, contemplated Kandata's past. He saw that once when Kandata was walking along a forest path, he had stepped aside to avoid crushing a spider beneath his feet, thinking, 'The spider hasn't hurt anyone. Why should I step on him?' Having seen this, the Buddha sent a spider to spin a thread of gossamer down to the Unintermittent hells.

—Sujétate al hilo —dijo la araña—. ¡Y date prisa en subir!

Kandata se apresuró a coger el hilo y empezó a subir. El hilo aguantaba bien. Subía rápido, cada vez más alto. De repente notó que el hilo temblaba, como si un nuevo peso hubiese sido añadido.

Kandata miró hacia abajo y vio que otros seres de los infiernos habían empezado a trepar también por el hilo. El hilo se estiraba cada vez más, pero sin romperse. Más y más seres del infierno se aferraban al hilo. Kandata ya no miraba a Buda, en su lugar, lleno de miedo, miraba a los otros seres del infierno que subían por debajo de él.

"'Take hold of my thread,' the spider said, 'and climb up.'"

Kandata eagerly grabbed the gossamer and started to pull himself up. The gossamer held fast. He climbed quickly, higher and higher. Suddenly he noticed that the spider's thread was trembling, as if under a new weight.

Kandata glanced down. He saw that other hell-beings had grasped hold of the thread and were climbing up after him. The string stretched out, but did not break. More and more hell-beings were taking hold of the wispy thread. Kandata no longer looked up at the Buddha; instead, he fearfully watched the hell-beings following him below.

Paró de subir. "¿Cómo puede este hilo soportar el peso de todos?", pensó.

—¡El hilo es mío! —gritó hacia abajo—. ¡Soltadlo! ¡Soltadlo! ¡Es mío!

Inmediatamente el hilo se rompió y Kandata y el resto cayeron otra vez a los infiernos.

—El arrepentimiento de Kandata no fue sincero —dijo Panthaka a Mahaduta—. No se reformó. El hilo de araña hubiese aguantado, porque un pensamiento generoso tiene la fuerza suficiente para salvar la vida a miles. Pero Kandata rompió el hilo. Él todavía se aferraba a la ilusión de su ego, y sus malos hábitos eran muy fuertes. No estaba dispuesto a ayudar a nadie más. Incluso el Honrado por el Mundo no lo pudo salvar.

—Déjame pensar a ver si puedo encontrar un hilo que me ayude a mí —dijo Mahaduta llorando—. Si hay algo bueno que pueda hacer, no me lo guardaré para mí.

Los dos hombres permanecieron en silencio durante un rato. Mientras, Panthaka lavó las heridas de Mahaduta. El jefe de los ladrones respiraba ahora más tranquilo.

"He stopped climbing. 'How can the gossamer carry everyone?' he thought. 'This string is mine!' he shouted downwards. 'Let go, all of you! Let go! It's mine!' Immediately the thread broke. Kandata and all the others fell back into the hells."

"Kandata's repentance wasn't true," Panthaka said to Mahaduta. "He did not reform. The spider's gossamer would have held, for even one generous thought has the strength to be a lifeline that saves thousands. But Kandata destroyed the gossamer. He still held onto the illusion of self, and his evil habits were too strong. He was not willing to help anyone else. Even the World Honored One couldn't save him."

"Let me think and find that thread of gossamer!" cried Mahaduta. "If there is some good I can do, I won't try to keep it to myself."

The two men were silent for a while. Panthaka washed Mahaduta's wounds. The robber chieftain breathed more peacefully.

Al final dijo:

—Hay una cosa buena que hice una vez, si se puede llamar bueno a parar de hacer algo malo.

—Sí que se puede —dijo Panthaka.

—Sí, hay una cosa buena que todavía puedo hacer. ¿Conoces por casualidad a Pandú, el rico joyero de Kaushambi?

—Soy de Kaushambi y lo conozco bien —dijo Panthaka—. Aunque él ya no es rico.

—¿No? Siento oír eso. ¡Qué raro! Debería estar contento, pues él fue quien me enseñó a ser rudo y a maltratar a la gente. Cuando era un esclavo joven, él me envió a aprender a pelear con un luchador, para así poder ser su guardaespaldas. Siempre que abusaba de alguien, él me recompensaba. Su corazón era duro como una roca. Una vez hizo que me apalearan, y fue entonces cuando escapé a las montañas. Pero me han dicho que ha cambiado, y que ahora se le conoce en todos los sitios por su amabilidad y benevolencia. Es algo difícil de imaginar. ¿Es eso cierto Maestro de Dharma?.

Finally he said, "There is one 'good' thing that I did once, if you can call stopping from doing more evil good."

"You can," said Panthaka.

"Yes, and one good thing I still can do. Would you, by any chance, know Pandu, the rich jeweler from Kaushambi?"

"I am from Kaushambi, and I know him well," Panthaka said, "though he's no longer rich."

"Isn't he? I'm sorry to hear that. Strange: you'd think I'd be glad, for he was the one who taught me to be highhanded with people and to oppress them. When I was a young slave, he sent me to learn fighting skills from a wrestler, so that I could be his bodyguard. Whenever I bullied people, he rewarded me. His heart was as hard as flint. He had me whipped once. It was then that I ran away to the mountains. But people have told me that he has changed, and that he is known far and wide for his kindness and benevolence! Such a thing is hard to conceive of. Is it true, Dharma Master?"

—Sí, es cierto —dijo Panthaka—. El poder del arrepentimiento sincero es realmente inconcebible, y nunca deja de sorprenderme.

—Muchas veces planeé vengarme de ese hombre —Mahaduta continuó—. Lo iba a torturar del mismo modo que él me torturó a mí. Cuando finalmente cayó en mis manos, al ver su cara, yaciendo indefenso en la carretera, apretando sus joyas contra su pecho, resignado a morir, no lo pude hacer, Maestro del Dharma. Sentí como si fuese a torturar a mi propio hermano.

—Todos los hombres son hermanos —dijo Panthaka—. Cada hombre ha sido tu padre en una vida pasada y cada mujer tu madre. Y con este hombre, tu tienes afinidades especialmente fuertes, para bien y para mal.

Mahaduta asintió:

—Debe ser así. Ese día lo despojé de sus joyas y su oro pero dejé que él y sus hombres se fueran. El oro se lo di a mis secuaces para que no protestasen por dejarlos escapar vivos.

"It's true," Panthaka said.

"The power of sincere repentance is indeed inconceivable. Every time I see it, it amazes me anew."

"I plotted many times how I would have my revenge on that man," Mahaduta continued. "I intended to torture him, just as he had me tortured. And he did fall into my hands at last. But when I saw his face as he lay there on the road, clutching his jewels to his chest, resigned to his death, I couldn't do it, Dharma Master. I felt as if I would be torturing my own brother."

"All men are brothers," Panthaka said. "Every man has been your father in some life past, and every woman your mother. And with this man you have affinities that are especially strong, both for good and for evil."

Mahaduta nodded. "It must be so. I took his jewels and his gold that day, but I let him and all his bodyguards go. His gold I gave to my men, so they wouldn't mind my calling off the violence."

—Pero sus joyas todavía las tengo escondidas en una grieta en mi cueva. Por alguna razón no he podido deshacerme de ellas. No era sólo cuestión de que una corona como esa es difícil de vender. Sentí que tenía que guardarla para algo. No sabía para qué. Ahora me alegro de haberlo hecho.

Mahaduta paró un momento y se giró hacia Panthaka:

—Concédame un último favor, Maestro del Dharma. Mi cueva está tras un cedro muy alto que hay junto al riachuelo media milla por encima de nosotros. Podrá ver la parte más alta del cedro desde el camino. La corona de Pandú y sus joyas están en una ranura vertical justo a la izquierda de la entrada. En la ranura, vaya recto y después hacia arriba y a la derecha. ¿Puede recordarlo?

—Sí—contestó Panthaka.

Mahaduta continuó:

—Pero no vaya solo. Dígale a Pandú que reclute treinta hombres armados. Mis hombres son pocos y sin mí carecen de coraje. Pandú podría vencerlos fácilmente.

Dígale a Pandú que lo siento, y que deseo que recupere todas sus riquezas de nuevo.

"But his jewels I have with me still, hidden in a crevice in my cave. For some reason I couldn't part with them. It wasn't only that a crown like that would be hard to dispose of. I also felt that I had to save them for something. I didn't know for what. Now I'm glad I did."

Mahaduta paused a moment, then turned to Panthaka. "Do this for me, Dharma Master. My cave is behind a tall cedar by the stream a half-mile above us. You can see the broad top of the cedar from the road. Pandu's crown and his jewels are in the vertical crevice just to the left of the entrance. You must reach straight in, then up to the right. Can you remember that?"

"I can."

"Don't go there yourself. Tell Pandu to come with thirty armed men. My men are fewer now, and without me they will lose heart. Pandu will overcome them easily.

Tell Pandu I'm sorry. I wish him to have his wealth again."

Deseo para todos los hombres riqueza y felicidad, toda la riqueza y felicidad que les he robado. Si vivo, o en mi próxima vida, hago el voto de ser como Usted, Venerable Maestro del Dharma, y servir de ayuda a los hombres atrapados en la red de sufrimiento que ellos mismos han creado con sus estúpidas acciones.

Exhausto, Mahaduta se reclinó. Ya no sentía ningún dolor en sus heridas, pero su vida se extinguía. De repente, una gran sonrisa apareció en su cara. Levantó su mano apuntando hacia arriba y exclamó:

—¡Mire! El Buda está allí en su asiento, a punto de entrar en el Nirvana. Sus discípulos, los grandes Arhates, están junto a Él ¡Mire! ¡Me está sonriendo!

La cara de Mahaduta brillaba de felicidad.

I wish all men wealth and happiness—all the wealth and happiness that I have taken from them. If I live, or in my next life, I vow to be like you, Venerable Dharma Master, and be a helper of men caught in the web of sorrow they have created by their own foolish deeds."

Exhausted, Mahaduta fell back. He now felt no pain from his wounds, but his life was ebbing away. Suddenly a joyous smile swept into his face. He raised his hand, pointing upward. "See! The Buddha is there on his couch, about to enter Nirvana. His disciples, the great Arhats, are standing around him. See! He is smiling at me! Mahaduta's face was bright with happiness."

—¡Qué bendición más maravillosa que Él viniese al mundo!

—Sí, fue una bendición— dijo Panthaka—. Apareció en el mundo debido a su compasión hacia todos los seres vivos, para instruirnos en lo más importante: el problema de la vida y la muerte. Nos enseñó a despertar al sufrimiento de este mundo, y nos enseñó que el deseo egoísta es la fuente de todas las penalidades. Nos enseñó el Camino Correcto para poner fin a nuestro sufrimiento. Nos enseñó moralidad, concentración y sabiduría para eliminar nuestra codicia, enfado e ignorancia. Él mismo, a través de muchas vidas de cultivación y renunciación, puso fin a sus propios deseos, y con amabilidad, compasión, alegría y generosidad se ofreció a nosotros como ejemplo. Si todos los hombres y mujeres pudiesen tomar refugio con Él, este mundo no sería el sitio pobre y peligroso que es ahora.

Mahaduta asintió. Bebió de las palabras del monje como un hombre sediento a quien se le ofrece agua fresca. Intentó hablar pero no podía continuar.

"What a wonderful blessing to us that he came into the world!"

"Yes, it was a blessing," Panthaka said. "He appeared in the world out of compassion for living beings, in order to instruct us in the one great matter: the problem of birth and death. He taught us to awaken to the suffering of this world, and he taught us that selfish desire is the source of our suffering. He taught us how to end our suffering by following him on the Proper Path. He taught us morality, concentration, and wisdom to put our greed, anger, and delusion to rest. He himself, through lifetimes of cultivation and renunciation, put to rest all his own desires, and with kindness, compassion, joy, and giving he came to give us himself as an example. If all men and women could take refuge in him, this world would no longer be the poor and dangerous place that it is now."

Mahaduta nodded. He drank in the Bhikshu's words like a thirsty man who is given cool water. He tried to speak, but could not continue.

Panthaka comprendió lo que quería y le administró los Tres Refugios, para que él también pudiese ser un discípulo de la Triple Joya. Panthaka le repitió los Cuatro Grandes Votos del Bodisattva:

Los seres vivos son innumerables;
yo hago el voto de salvarlos a todos.

Las aflicciones son inacabables;
yo hago el voto de extinguirlas todas.

Las Puertas al Dharma son incontables;
yo hago el voto de penetrarlas todas.

El Camino a Buda es insuperable;
yo hago el voto de completarlo.

También repitió tres veces el verso de arrepentimiento del Bodisattva Samantabadra:

De todas las maldades que
he cometido en el pasado,

Causadas por codicia,
odio y estupidez sin límites,

Y producidas con el cuerpo,
la boca y la mente,

Yo ahora me arrepiento y reformo.

Understanding his request, Panthaka spoke the Three Refuges for him, so that he became a disciple of the Triple Jewel. Panthaka then repeated for him the Four Great Vows of the Bodhisattva:

Living beings are boundless:
I vow to save them.

Afflictions are endless:
I vow to cut them off.

Dharma-doors are countless:
I vow to study them.

The Buddhas' Way is unsurpassed:
I vow to achieve it.

He also repeated three times the repentance verse of Samantabadra Bodhisattva:

Of all evil I have done
in the past,

Caused by beginningless greed,
hatred, and stupidity

And produced by body,
mouth, and mind,

I now repent and reform.

Y el siguiente verso:

*Las ofensas surgidas de la mente*
*serán arrepentidas en la mente.*

*Cuando la mente se extingue,*
    *las ofensas se desvanecen.*

*Con la mente desvanecida y las*
*ofensas extinguidas, ambas vacías.*

*A esto se le llama el verdadero*
    *arrepentimiento y reforma.*

Cuando Panthaka estaba recitando, Mahaduta exaló por última vez.
Murió con una sonrisa en su rostro.

And this verse:

*Offenses arise from the mind;*
*repentance is done by the mind.*

*When the mind is extinguished,*
    *offenses are forgotten.*

*Offenses extinguished and the*
*mind forgotten—both empty:*

    *This is called true*
    *repentance and Reform.*

As Panthaka was reciting it,
Mahaduta breathed his last. He died
with a smile on his face.

Panthaka canceló su peregrinaje y volvió a Kaushambi. Fue inmediatamente a la casa de Pandú a decirle lo que había pasado. Con una escolta de hombres armados, Pandú volvió a las montañas. Los hombres de Mahaduta ya se habían ido. La bolsa de Pandú estaba escondida exactamente donde Pandú había dicho, y la corona estaba allí, intacta.

Panthaka fue con ellos, y después de haber incinerado el cuerpo de Mahaduta y recogido sus cenizas en una urna, Panthaka lideró a la gente allí presente en la recitación de Sutras y mantras.

Habló brevemente del poder del karma y del incluso mayor poder de arrepentimiento y reforma. También recitó los siguientes versos:

*Nadie puede salvarnos excepto nosotros mismos.*

*Nuestra fuerza es mayor que la fuerza derivada de otros.*

*Nosotros mismos debemos andar el camino de la Iluminación Correcta,*

*Con Buda como nuestro gran maestro y guía.*

Panthaka postponed his pilgrimage and returned to Kaushambi. He went immediately to Pandu's house to tell him of what had happened. Gathering an escort of armed men, Pandu returned to the mountains. Mahaduta's men had already fled. Pandu's purse was hidden exactly where Mahaduta had said it would be, and the crown was within it, unharmed.

Panthaka came with them, and when the body of Mahaduta had been burned and the ashes collected in urns, Panthaka led the assembled company in the recitation of Sutras and mantras.

He spoke briefly of the power of karma and of the even greater power of repentance and reform. He also quoted this verse:

*No one can save us but ourselves.*

*Our strength is greater than that derived from others.*

*We ourselves must walk the road to Proper Enlightenment*

*With the Buddha as our Great Teacher and Guide.*

—Nuestro Anciano Maestro Narada —Panthaka continuó—, siempre nos recordó que nosotros solos somos responsables de nuestras propias acciones, y que somos responsables de lo que nos pasa como resultado de esas acciones.

Ningún dios u otro ser nos van a recompensar o castigar. Nos recompensamos a nosotros mismos, y nos castigamos a nosotros mismos. Todo surge de la mente, y por lo tanto, el mundo es exactamente como nosotros lo creamos. Este hombre, Mahaduta, a quien hoy hemos cremado y enterrado sus cenizas, llevó una vida de maldad, guiado por malos pensamientos, nunca feliz. Pero al final cambió.

Su arrepentimiento y votos de reforma conmovieron al mismo Buda, quien apareció frente a él y lo bendijo. Su vida terminó con una acción de perdón y murió feliz. Todos nosotros podemos aprender de su ejemplo, pues ninguno de nosotros carece de faltas. El karma nos conecta a todos como una tela de araña creada por nosotros mismos. Y al mismo tiempo, todos somos capaces de liberarnos mediante un arrepentimiento sincero.

"Our Elder Master Narada," Panthaka continued, "has always stressed that we alone are responsible for our own actions, and that we are responsible for what happens to us as a result of our actions.

"No god or any other being rewards or punishes us. We reward ourselves; we punish ourselves. Everything arises from the mind, and so the world is exactly how we create it. This man Mahaduta, whom we have buried today, led an evil life, guided by evil thoughts, and knew nothing but unhappiness. Yet at the end he changed.

His repentance and vows of reform moved the Buddha himself to appear to him and give him his blessing.

His life ended with a deed of forgiveness, and he died as a happy man. We can all learn from his example, for none of us is blameless.

We are all connected by the web of karma we have created, and we are all capable of the liberation that true repentance brings."

Panthaka hizo que en la tumba donde se depositó la urna con las cenizas de Mahaduta se inscribiese el siguiente epitafio en una losa:

*Aquí yace Mahaduta,*
*salteador de caminos.*

*Vivió rodeado de violencia;*
*y la violencia trajo su perdición.*

*Al final, arrepentido,*
*devolvió los frutos de sus robos,*

*Y prometió andar el Camino Correcto.*

*El Buda le sonrió y certificó su*
*transformación.*

*¡Maha Prajña Paramita!*

La losa junto al paso de la montaña acabó siendo conocida como la tumba del ladrón arrepentido, y años después un altar fue construido a su lado. Allí los viajeros y peregrinos se postraban a Buda y rezaban para tener un buen viaje y para la conversión de los hombres malvados.

Pandú se convirtió de nuevo en un hombre rico, incluso más rico de lo que nunca antes había sido. Sin embargo, ahora estaba más interesado en dar dinero que en ganarlo, y dejó que sus hijos se encargasen de los negocios. Hizo lo mejor que pudo para enseñarles que la prosperidad conseguida de modo fraudulento no es duradera, y que si son generosos y amables se asegurarán un futuro feliz. Su muerte llegó de un modo pacífico a una edad avanzada.

Panthaka had the following summary of the robber chieftain's life and conversion inscribed on Mahaduta's headstone:

*Here lies Mahaduta,*
*highwayman.*

*He lived in anger;*
*anger felled him.*

*At last repenting,*
*he returned his spoils,*

*Promising to walk the Proper Path.*

*The Buddha smiled and*
*certified his change.*

*Maha Prajna Paramita!*

The headstone beside the mountain pass became known as the Repentant Robber's Tomb, and in later years a shrine was built beside it. There travelers and pilgrims bowed to the Buddha and prayed for a peaceful journey and the conversion of evil men.

Pandu now became wealthy again, wealthier than he had ever been. Now, however, he was more interested in giving money away than in making it, and he gave over the operation of his business to his sons. He did his best to teach them that prosperity brought about by hard dealings will not last, and that by being generous and kind they would assure themselves of a happy future. His end came peacefully in old age.

Cuando se dio cuenta que su muerte estaba cerca, llamó a sus hijos, hijas y nietos junto a su lecho y les dijo:

—Queridos niños, si en el futuro algo malo pasa en vuestras vidas, no culpéis a otros, incluso si parece que son la causa de vuestra desgracia. Mirad dentro de vosotros mismos. Mirad donde habéis sido orgullosos, codiciosos, avariciosos, o rudos. Cambiad las faltas dentro de vosotros mismos, pues es algo que siempre tenéis el poder de hacer. Si el cambio parece que está más allá de vuestras posibilidades, buscad la ayuda de vuestro maestro, y rezad a los Budas y Bodisattvas para que os ayuden. Una vez cambiadas vuestras faltas, la buena fortuna y felicidad regresarán de un modo natural. Y cuando lleguen no las guardéis para vosotros solos, compartidlas. Entonces nunca se agotarán. Recordadme por el siguiente verso que el Venerable Narada me enseñó cuando lo conocí por primera vez:

When he realized that his death was near, he called his sons, daughters, and grandchildren to his bedside and told them:

My dear children, if in the future something should go wrong in your lives, don't blame others, even if they seem to be the cause of your unhappiness. Look within yourself. See where you have been proud, selfish, greedy, or unkind. Change that fault in yourself, for this is something that is always within your power. "If change seems beyond you, seek help from your teacher, and pray to the Buddhas and Bodhisattvas for aid. Once you have changed your faults, good fortune and happiness will return to you naturally. When they have returned, do not hoard them, but share them with others. Then they will never be exhausted. Remember me by this verse, which the Venerable Narada taught me when I first knew him:

*Aquel que causa daño a otros se daña a sí mismo;*

*Aquel que ayuda a otros se ayuda a sí mismo aún más.*

*Para encontrar el Camino puro, el Sendero de Luz,*

*Abandona la falsedad de que tienes un ego—.*

*He who hurts others hurts himself.*

*He who helps others helps himself even more.*

*To find the pure Way, the Path of Light,*

*Let go of the falsehood that you have a self.*

## Dharma Realm Buddhist Association
The City of Ten Thousand Buddhas
4951 Bodhi Way Ukiah, CA 95482, U.S.A
Tel: (707) 462-0939, Fax: (707) 462-0949
www.drba.org . e-mail: cttb@drba.org

---

### The City of the Dharma Realm
1029 West Capitol Ave.
West Sacramento, CA 95691 U.S.A.
Tel/Fax: (916) 374-8268
E-mail:henggwei@drba.org

### The International Translation Institute
1777 Murchison Drive
Burlingame, CA 94010-4504 U.S.A.
Tel: (650) 692-5912
Fax: (650) 692-5056

### Institute for World Religions
(Berkeley Buddhist Monastery)
2304 McKinley Avenue,
Berkeley, CA 94703 U.S.A.
Tel: (510) 848-3440
Fax: (510) 548-4551
E-mail:paramita@drba.org

### Gold Mountain Monastery
800 Sacramento Street
San Francisco, CA 94108 U.S.A.
Tel: (415) 421-6117
Fax: (415) 788-6001

### Gold Wheel Monastery
235 North Avenue 58
Los Angeles, CA 90042 U.S.A.
Tel/Fax: (323) 258-6668

### Gold Sage Monastery
11455 Clayton Road
San Jose, CA 95127 U.S.A.
Tel: (408) 923-7243
Fax: (408 )923-1064

### Long Beach Monastery
3361 East Ocean Boulevard
Long Beach, CA 90803 U.S.A.
Tel/Fax: (562) 438-8902

### Blessings, Prosperity, and Longevity Monastery
4140 Long Beach Boulevard
Long Beach, CA 90807 U.S.A.
Tel/Fax: (562) 595-4966

**Avatamsaka Hermitage**
11721 Beall Mountain Road
Potomac, MD 20854-1128 U.S.A.
Tel/Fax: (301) 299-3693
E-mail:hwa-yan88@aol.net

**Gold Summit Monastery**
233 First Avenue West
Seattle, WA 98119 U.S.A.
Tel/Fax: (206)284-6690
E-mail:gsmseattle@netzero.com
www.goldsummitmonastery.org

**Gold Buddha Monastery**
248 E. 11th Avenue,
Vancouver, B.C. V5T 2C3 Canada
Tel/Fax: (604) 709-0248
E-mail:drba.@bgm-online.com
www.drba/gbm-online.com

**Avatamsaka Monastery**
1009-4th Avenue, S.W.
Calgary, AB T2P Ok8
Canada. Tel/Fax: (403) 234-0644
www.avatamsaka.ca

**Dharma Realm Buddhist Books
Distribution Society**
11 Floor, 85 Chung-hsia E. Road, Sec. 6
Taipei, Taiwan
Tel: (02) 2786-3022, 2786-2474
Fax: (02) 2786-2674
E-mail:drbbds@ms1.seeder.tw

**Dharma Realm Sagely Monastery**
Kaohsiung, Taiwan
Tel: (07) 689-3713
Fax: (07)689-3870

**Amitabha Monastery**
Hua Lian, Taiwan
Tel: (03) 865-1956
Fax: (03) 865-3426

**Tze Yun Tung Temple**
5 1/2 , Jalan Sungai Besi
Salak Selatan,
57100 Kuala Lumpur, Malaysia
Tel: (03) 782-6560
Fax: (03) 780-1272
E-mail:sheng@pd.jaring.my

**Deng Bi An Kun Yan Thong Temple**
161, Jalan Ampang
50450 Kuala Lumpur, Malaysia
Tel: (03) 2164-8055
Fax: (03)2163-7118

**Lotus Vihara**
136, Jalan Sekolah,
45600 Batang Berjuntai, Selangor Darul
Ehsan, Malaysia
Tel: (03) 3271-9439

**Buddhist Lecture Hall**
Tel/Fax: 2572-7644
31 Wong Nei Chong Road, Top Floor
Happy Valley, Hong Kong

# Introducción a la DRBA
## Asociación Budista Reino del Dharma
### www.budismodrba.org

La Asociación Budista Reino del Dharma (Dharma Realm Buddhist Association, DRBA) fue inscrita en los registros de los Estados Unidos en el año 1959 por el Venerable Maestro Hsuan Hua, con el fin de preservar y propagar en Occidente las enseñanzas del Budismo Mahayana.

Para tal fin, DRBA actúa mediante el mantenimiento de una comunidad monástica (Sangha), mediante instituciones educacionales que fomentan la virtud y los principios éticos, y mediante la traducción de las enseñanzas del Buda (Dharma) a otros idiomas.

Las Seis Pautas Principales de comportamiento de la Asociación son: no ser agresivos, no ser codiciosos, no ser demandantes, no ser egoístas, no ser aprovechados, y no ser mentirosos. Además de estas pautas, el Venerable Maestro también legó, en forma de versos, la siguiente guía de comportamiento:


Antes muertos de frío que oportunistas;

Antes muertos de hambre que manipuladores;

Antes muertos en la pobreza que suplicantes.

Nos avenimos a las circunstancias sin alterarnos;

No alterados, las circunstancias se avienen;

Mantenemos con determinación esos tres nobles propósitos.

Dedicamos la vida a obrar como un Buda;

Modelamos la vida para obrar con fundamento;

Enderezamos la vida para obrar como una Sangha.

Obrar así es entender los principios;

Los principios entendidos son la obra en sí.

Llevamos a la práctica el latido único transmitido por los Patriarcas.

## The Dharma Realm Buddhist Association

The Dharma Realm Buddhist Association (DRBA) was founded by the Venerable Master Hsuan Hua in the United States of America in 1959 to bring the genuine teachings of the Buddha to the entire world. Its goals are to propagate the Proper Dharma, to translate the Mahayana Buddhist scriptures into the world's languages and to promote ethical education. The members of the Association guide themselves with six ideals established by the Venerable Master which are: no fighting, no greed, no seeking, no selfishness, no pursuing personal advantage, and no lying. They hold in mind the credo:

Freezing, we do not scheme.

Starving, we do not beg.

Dying of poverty, we ask for nothing.

According with conditions, we do not change.

Not changing, we accord with conditions.

We adhere firmly to our three great principles.

We renounce our lives to do the Buddha's work.

We take responsibility in molding our own destinies.

We rectify our lives to fulfill our role as members of the Sangha.

Encountering specific matters, we understand the principles.

Understanding the principles, we apply them in specific matters.

We carry on the single pulse of the patriarchs' mind-transmission.

Durante las décadas que siguieron al establecimiento de DRBA, comunidades Budistas internacionales como el Monasterio de la Montaña de Oro, la Ciudad de los Diez Mil Budas, la Ciudad del Reino del Dharma, y varias otras fueron fundadas. Todas operan bajo las tradiciones del Venerable Maestro y a través de los auspicios de la Asociación Budista del Reino del Dharma. Siguiendo las prácticas de los Budas, los miembros del Sangha en las comunidades monásticas mantienen las costumbres de tomar sólo una comida al día y de llevar siempre puesto la ropa monástica. Recitando el nombre del Buda, estudiando las enseñanzas, y practicando la meditación, viven juntos en armonía y personalmente ponen en práctica las enseñanzas de Buda Sakyamuni. El Maestro enfatizó la traducción y la educación. La Asociación también colabora con el Instituto Internacional de Traducción, programas de entrenamiento para laicos y Sangha, la Universidad del Reino del Dharma, y escuelas primarias y secundarias.

Las sucursales de la Asociación están abiertas a personas sinceras de todas las razas, religiones y nacionalidades. Toda persona que con devoción por la bondad, por la virtud y por la verdad esté dispuesta a dar lo mejor de sí mismo con el fin de entender la mente y descubrir su naturaleza es bienvenido a unirse a nosotros en el estudio y la práctica.

During the decades that followed DRBA's establishment, international Buddhist communities such as Gold Mountain Monastery, the City of Ten Thousand Buddhas, the City of the Dharma Realm, and various other branch facilities were founded. All these operate under the tradition of the Venerable Master and through the auspices of the Dharma Realm Buddhist Association. Following the Buddhas' guidelines, the Sangha members in these monastic facilities maintain the practices of taking only one meal a day and of always wearing their precept sashes. Reciting the Buddha's name, studying the teachings, and practicing meditation, they dwell together in harmony and personally put into practice Shakyamuni Buddha's teachings. Reflecting Master Hua's emphasis on translation and education, the Association also sponsors an International Translation Institute, vocational training programs for Sangha and laity, Dharma Realm Buddhist University, and elementary and secondary schools.

The Way-places of this Association are open to sincere individuals of all races, religions, and nationalities. Everyone who is willing to put forth his or her best effort in nurturing humaneness, righteousness, merit, and virtue in order to understand the mind and see the nature is welcome to join in the study and practice.